Pendant ce temps, plus loin au large, Capitaine Crochet entend la musique.
« Suivez ce bruit, Mouche ! hurle Crochet. Je veux cette guitare ! »

Quand Crochet et Mouche rattrapent Bucky, Jake et l'équipage pataugent gaiement dans l'eau. Le sournois Crochet chipe la guitare de Jake et s'enfuit.
« Ma guitare a disparu ! » s'exclame Jake quand les amis remontent à bord. Au loin, il entend un vacarme affreux. Avec sa lunette, il aperçoit Capitaine Crochet jouant sur sa guitare… et franchement très mal !

« Satané serpent sournois ! » s'écrie Jake. Il lance Bucky à la poursuite du bateau de Crochet. Puis, grâce à la poussière de fée, les courageux pirates fondent sur le Capitaine et récupèrent la guitare !
Pour fêter leur victoire, Jake, Izzy, Skully et le Frisé font un concert de rock. Aller ! Chante avec eux !

Allons chercher le trésor !

Voguons les amis
sur les mers **bleu azur.**
Partons à la **recherche** du beau **trésor**
Qui avait **disparu !**

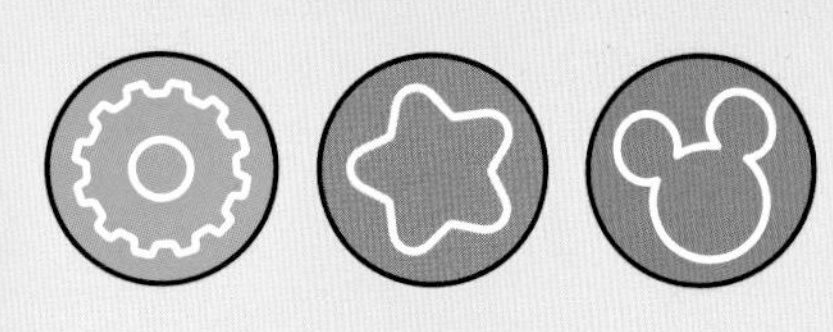

Croc le crocodile veut manger les pirates !

Croc, le crocodile, voudrait bien **attraper**
Le capitaine Crochet et aussi M. Mouche
Pour les **dévorer** !

Volons le trésor !

Les pirates **se cachent** derrière un rocher,
Pour essayer de **voler** le trésor :
Un **coffre** rempli de pièces d'or, de bijoux
(*et la guitare aussi !*)

Que vont-ils **pêcher** ?

Au voleur !

Le Capitaine Crochet a volé
La **guitare** de Jake sur la **plage.**
Mais nos **amis** vont le rattraper
Pas de chance pour
le Capitaine **Crochet** !

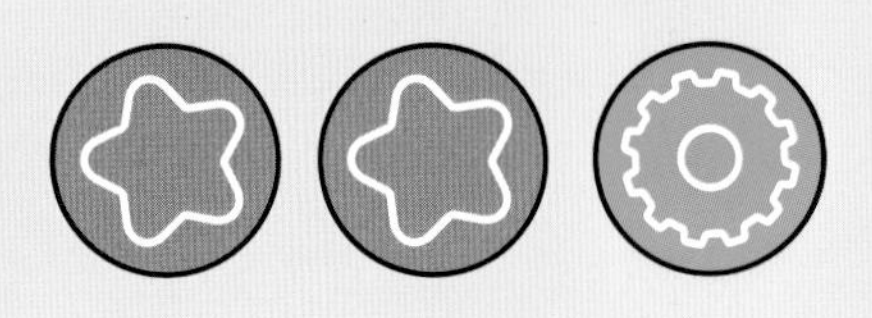

Regardez voler nos amis

Regardez **voler** nos amis,
Grâce à la poudre **magique** d'Izzy.
Ils volent comme leur ami Skully,
Et voient tout c' qu'il se passe ici !

Alle– on danse !

Un, deux – On est heureux !
Trois, quatre – Allez on danse !
Cinq, six – Viens donc, Izzy !
Sept et huit – Viens Skully !
Neuf, dix – On recommence !

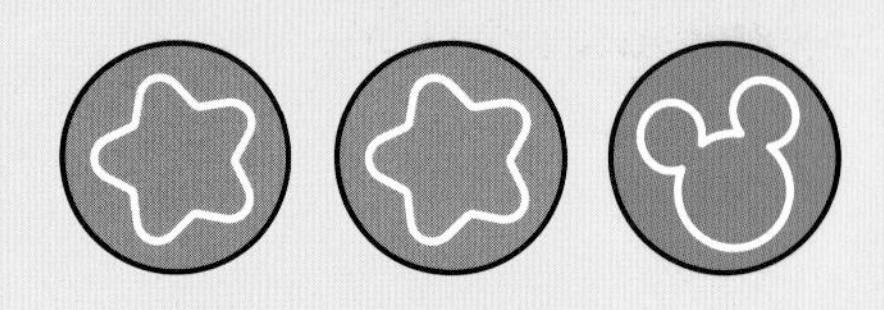

Quel fameux groupe !

Jake joue avec sa **guitare**
et ses deux musiciens :
Cubby à l'**harmonica**,
Izzy au **tambourin**.

Tous trois font de la **musique**,
et Skully apprécie.

L'orchestre est bien **sympathique**...
Viens nous accompagner !

Une vie de pirates

Chanter en mer est une tradition de pirate !
Jake et ses copains pirates hissent les voiles de Bucky, puis Jake prend sa guitare pour jouer un air.
Izzy, Skully et le Frisé dansent et chantent en chœur.